D0110286

Pour Rory, Peter et Brian

Texte traduit de l'anglais par Élisabeth Duval

ISBN 978-2-211-09549-5
Première édition dans la collection «lutin poche»: mai 2009

Titre de l'ouvrage original : LOST AND FOUND
Éditeur original : HarperCollins Publishers ltd.
Loi n° 49 956 du 16 juillet 1949 sur les publications
destinées à la jeunesse : septembre 2005
Dépôt légal : décembre 2013
Imprimé en France par I.M.E. à Baume-les-Dames

Oliver Jeffers

Perdu? Retrouvé!

Kaléidoscope
lutin poche de l'école des loisirs
11, rue de Sèvres, Paris 6e

C'est l'histoire d'un petit garçon...

qui trouva un jour un pingouin devant sa porte.

Le petit garçon se demanda d'où venait
le pingouin,

et pourquoi il se mettait à le suivre partout.

Le pingouin semblait triste, alors
le petit garçon pensa qu'il s'était perdu.

Et il décida d'aider le pingouin
à retrouver le chemin de sa maison.

Il passa d'abord au bureau
des AVIS DE RECHERCHE mais aucun pingouin
n'était porté disparu.

Il demanda aux oiseaux qu'il rencontra
s'ils savaient d'où venait le pingouin.

Mais les oiseaux ne le regardèrent même pas.
Certains oiseaux sont comme ça.

Il demanda à son canard.

Mais son canard s'éloigna à la nage.
Il ne savait pas.

L'enfant s'endormit tard cette nuit-là.
Il était soucieux, il voulait aider le pingouin
mais il ne savait pas comment faire.

Le lendemain matin, il découvrit
que les pingouins vivent au pôle Nord.
Mais comment pouvait-il y retourner?

Il courut jusqu'au port
et demanda à un grand bateau
de les emmener au pôle Nord.
Mais sa voix fut totalement couverte
par la sirène du bateau.

Le petit garçon décida qu'ils iraient
tous les deux jusqu'au pôle Nord à la rame.
Alors, il sortit son bateau à rames
du placard et s'assura qu'il était assez solide
et suffisamment grand.

Ensuite, il mit le strict nécessaire
dans sa valise,

et avec l'aide du pingouin,
il poussa le bateau à rames jusqu'à la mer.

Ils ramèrent vers le nord pendant des jours...

et des nuits, tandis que le petit garçon racontait des histoires que le pingouin écoutait avec la plus grande attention.

Ils voguèrent sur une mer
tantôt calme et tantôt agitée

avec des vagues aussi hautes
que des montagnes...

... jusqu'au pôle Nord où ils arrivèrent enfin.

Le petit garçon était très content.
Mais pas le pingouin.
Il avait de nouveau l'air triste.
Le petit garçon l'aida à sortir du bateau.

BIENVENUE
AU PÔLE NORD

Le petit garçon lui dit au revoir...

et il remonta dans son bateau.
Tandis qu'il s'éloignait, il vit le pingouin
devenir plus triste que jamais.

C'était étrange
de se retrouver seul maître à bord...

... plus il y pensait,

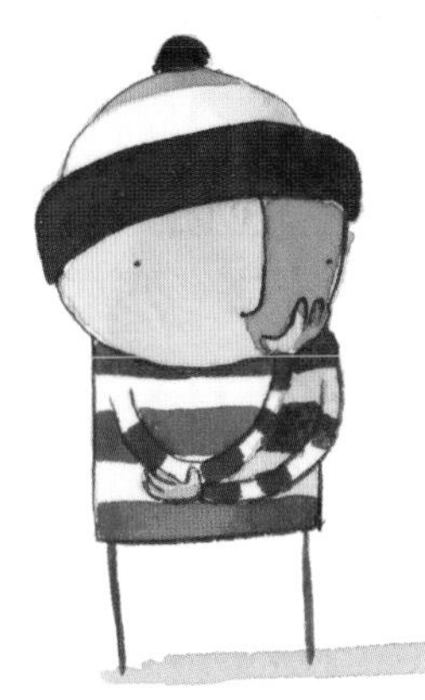

... et plus il se disait
qu'il avait commis
une grosse erreur.

Le pingouin n'était pas perdu.
Il était juste un peu seul.

Aussitôt, le petit garçon changea de cap,
et il rama vers le pôle Nord
aussi vite que possible.

Il aborda une nouvelle
fois le pôle.
Mais où était passé
le pingouin?

Le petit garçon
le chercha et
le chercha encore,
mais il ne le trouva
nulle part.

Le petit garçon remonta tristement
dans son bateau. À quoi bon raconter
des histoires s'il n'y a personne
pour les écouter à part le vent et les vagues.

Mais le petit garçon aperçut quelque chose
qui flottait dans le lointain.

Il s'approcha, s'approcha,
et il reconnut...

... le pingouin.

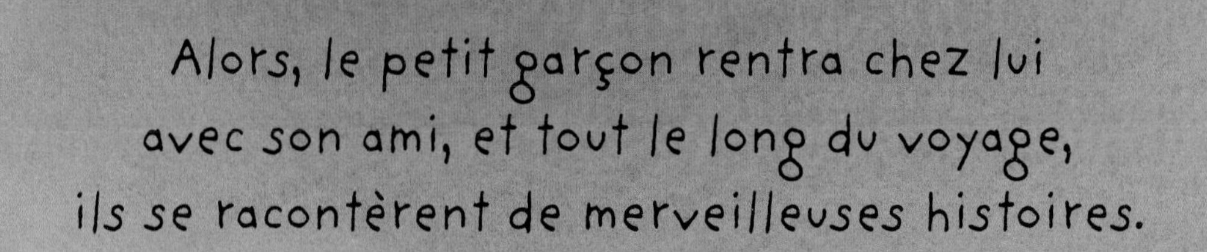

Alors, le petit garçon rentra chez lui
avec son ami, et tout le long du voyage,
ils se racontèrent de merveilleuses histoires.